D1238167

À Jim Henson et Brian Froud,
pour m'avoir ouvert les portes d'un monde parallèle,
où des personnages nés de leur imagination
m'ont aidée à poursuivre dans ma vie d'adulte,
mes rêves d'enfants.
Merci à Amora Doris pour son aide artistique précieuse.

Anne Moreau-Vagnon

LEWIS CARROLL

LA CAVERNE DU MAGICIEN

Illustré par

ANNE MOREAU-VAGNON

PRISES DE VUE : FRANÇOIS VAGNON

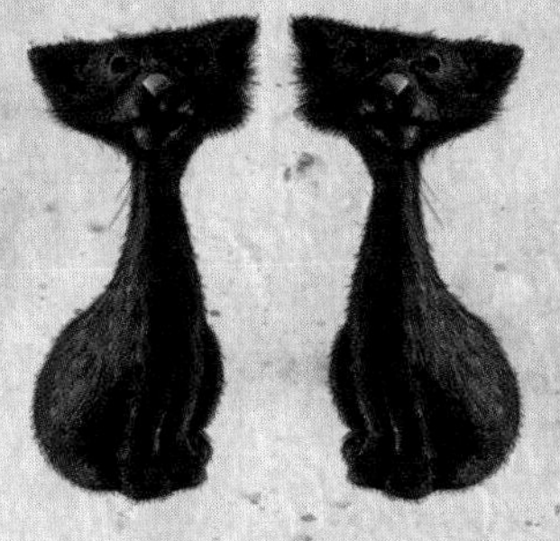

TRADUIT DE L'ANGLAIS PAR GÉRARD POURRET

CONCEPTION GRAPHIQUE : OLIVIA WILLAUMEZ

éditions mouck

AMI LECTEUR !

oseras-tu pénétrer
dans la caverne du grand Magicien ?
Si ton cœur n'est pas loyal et courageux, n'y va pas !
Referme vite ces pages
et plus jamais n'ouvre ce livre !

7

Là-haut, flottent deux chats noirs totalement immobiles, entre les deux un hibou endormi, perché sur une affreuse vipère suspendue dans les airs.

Les araignées rampent sur les longs cheveux gris du grand

Magicien occupé à écrire un terrible sortilège en lettres d'or sur le rouleau magique accroché à la gueule de la vipère mortelle.

Une chose étrange, une espèce de patate, une Potatoe articulée plane au-dessus du rouleau magique en lisant les formules à l'envers.

OYEZ !

Un cri perçant a roulé dans la caverne,
se répercutant sur les parois,
avant d'aller mourir dans l'épaisseur de la voûte.

HORREUR !

Mais le cœur du Magicien n'a pas failli, quoique son petit doigt ait tremblé légèrement par trois fois, et qu'un de ses cheveux gris se soit dressé de terreur sur sa tête.

Un autre cheveu aurait bien voulu se dresser lui aussi, mais une araignée s'y accrochait, alors il ne réussit pas.

Sinistre comme l'ébène la plus noire,
un éclair de lumière mystique a surgi
TOUT D'UN COUP,
et, durant un bref instant,
on vit le hibou cligner de l'œil : une fois.

SOMBRE PRÉSAGE !

Serait-ce que la vipère,
sous les pattes du hibou, aurait sifflé ?
OH NON ! ce serait **TROOOOP** épouvantable !

Dans le profond silence de mort qui suivit cet événement palpitant, on entendit le chat de gauche éternuer.

Très distinctement.

Alors, le Magicien se mit à trembler comme une feuille.

« *Esprits ténébreux des profondeurs immenses !* » murmura-t-il dans sa barbe, tandis que sa vieille carcasse semblait vouloir se désintégrer sous lui ; « *Je ne vous ai pas invoqué : pourquoi venez-vous me tourmenter ?* »

Ainsi parla-t-il, et la Potatoe lui répondit d'une voix caverneuse :

16

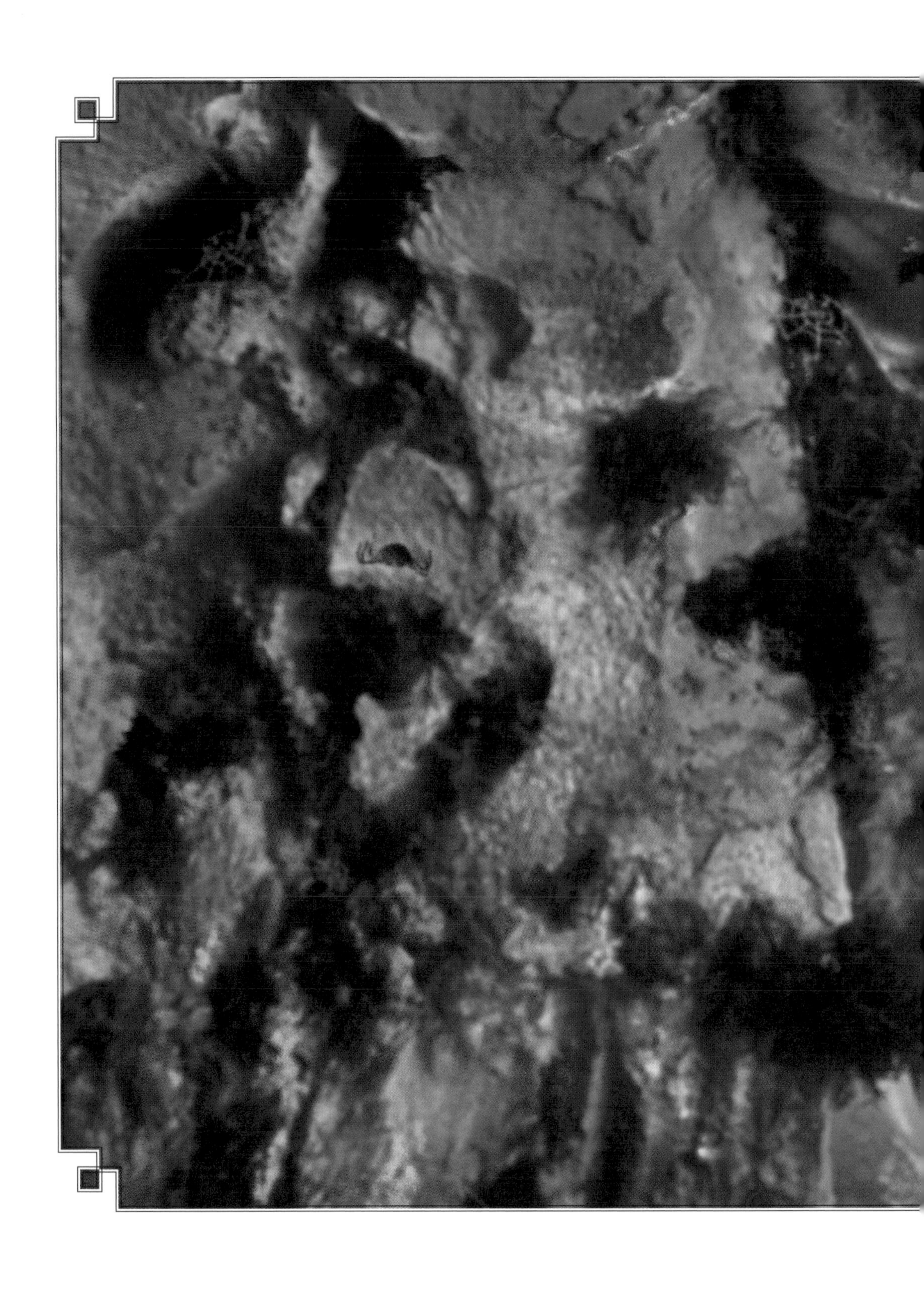

‘ SI ! TU NOUS AS APPELÉS ! ’

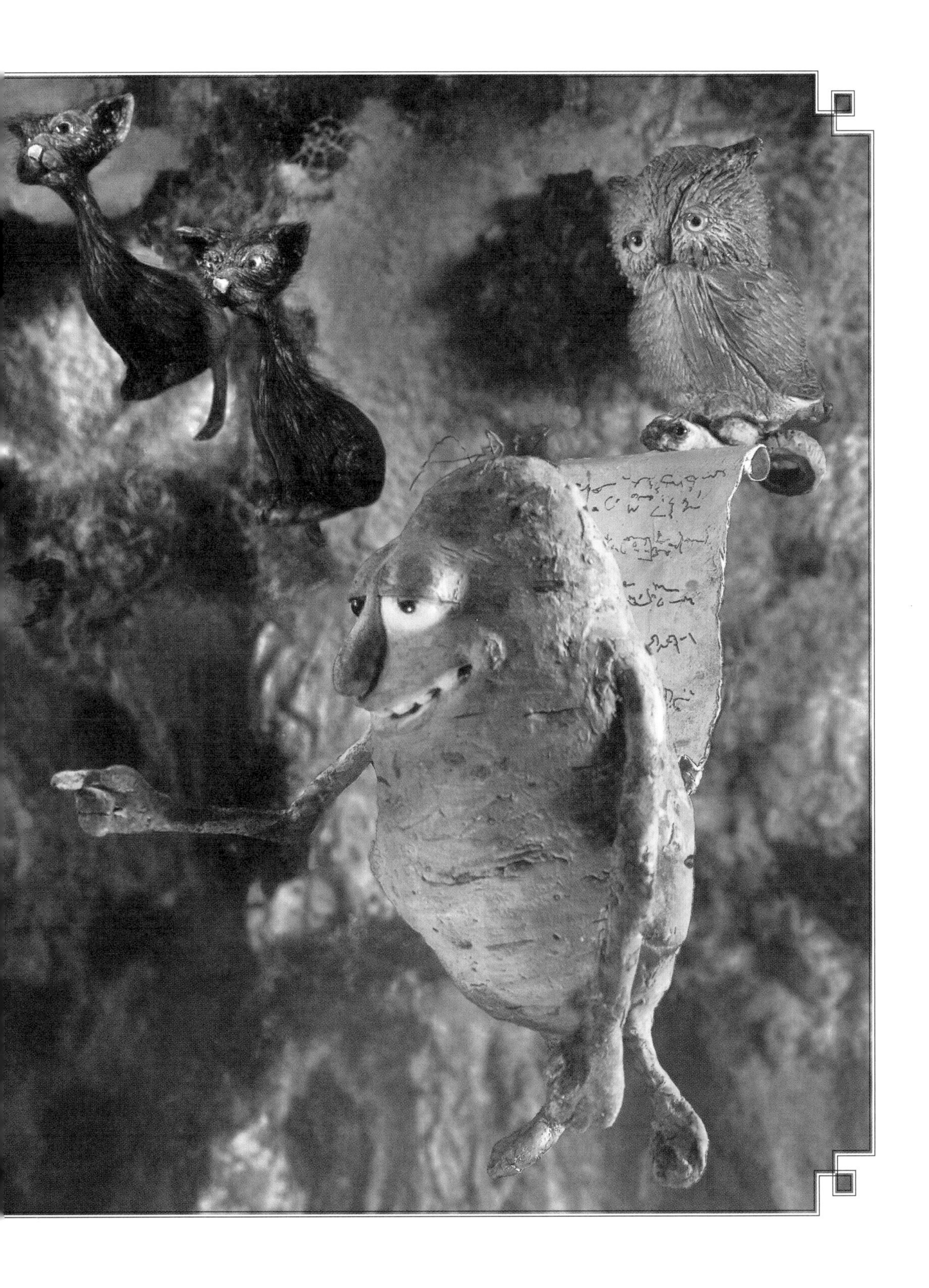

Puis ce fut le silence total.

Effrayé, le Magicien fit un pas en arrière :

« Quoi ! moi le grand Magicien nargué par une patate ?

JAMAIS ! »

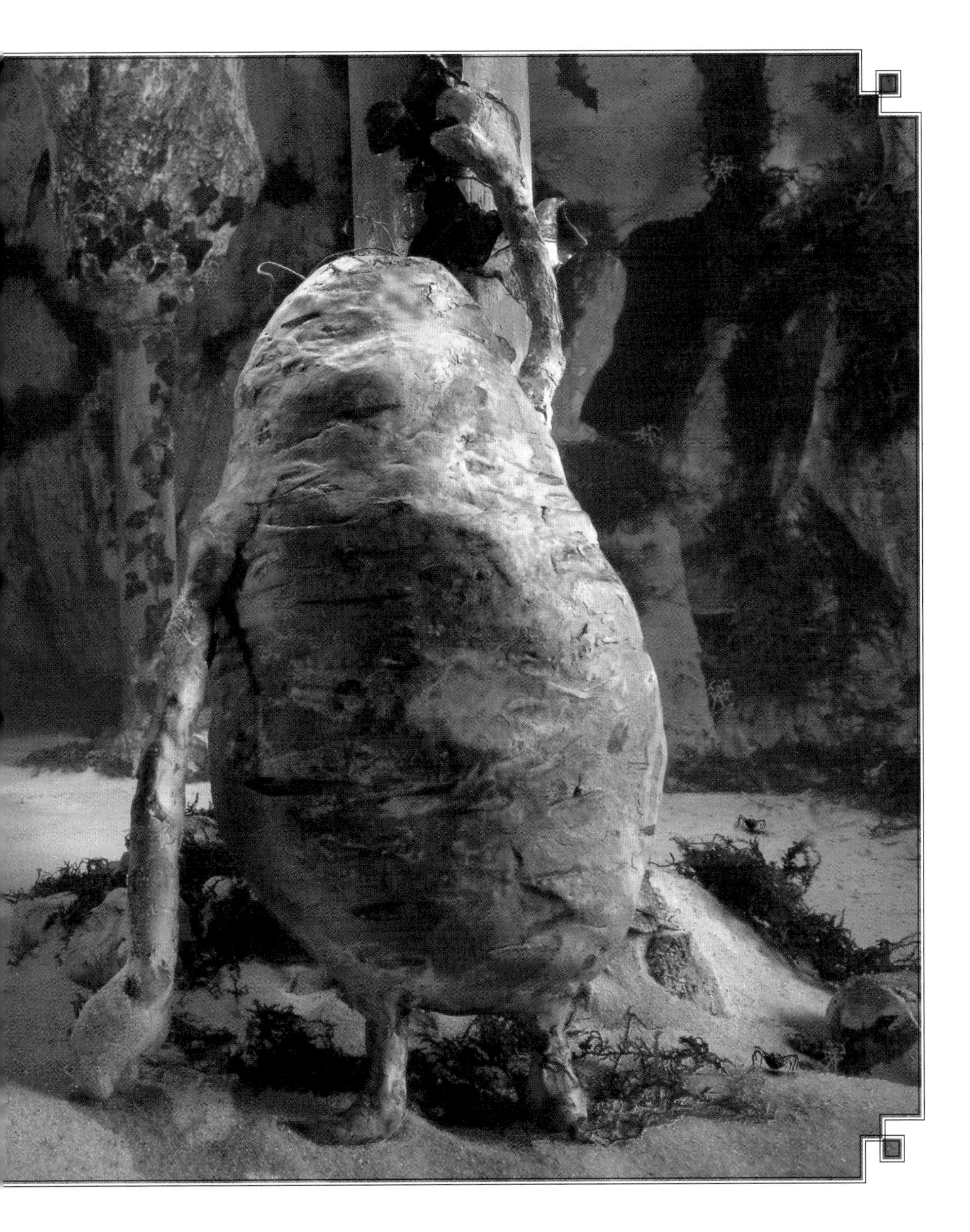

Pas très rassuré, il frappa sa vieille poitrine pour se donner du courage, puis, quand il eut rassemblé ses forces, il s'écria :

« Prononce encore un seul mot

et je te fais **BOUILLIR** *immédiatement ».*

Il y eut un long silence, sinistre et mystérieux.

QU'ALLAIT-IL SE PASSER ?

On entendit la Potatoe pleurer à gros sanglots
et ses larmes s'écraser bruyamment sur le sol.
Alors, lentement, clairement, quelqu'un prononça ces mots terribles :

' GOBNO STRODGOL SLOK SLABOLGO ! '.

Puis dans une sorte de sifflement lugubre :

' **LA DERNIÈRE HEURE EST ARRIVÉE** '.

« *Mystère ! mystère !* » gémit le Magicien horrifié ;
« *Le cri de guerre russe ! Oh Slogdod ! Slogdod ! Qu'avez-vous fait ?* »

Il restait là, debout, attentif et tremblant ; mais plus aucun son ne parvenait à ses oreilles inquiètes ; rien que le bruit incessant d'une chute d'eau dans le lointain.

Enfin, une voix dit :

' **MAINTENANT !** '.

À ce mot, le chat qui se trouvait à droite tomba lourdement sur le sol.

Alors le spectre du cri perçant apparut, terrible, vague et indistinct dans l'obscurité.

Il était sur le point de parler quand une voix d'outre-tombe résonna dans la grotte :

' TIRE-BOUCHONS ! '.

Le spectre, la Potatoe et le chat de droite crièrent en même temps : « *Oui !* ».

Et la lumière fut.

Une lumière tellement éblouissante que le Magicien ferma les yeux en frissonnant et dit : « *C'est un rêve, oh mon Dieu ! si je pouvais me réveiller !* »

En ouvrant les yeux,
il vit que tout avait disparu :
caverne, spectre, chats.

Il n'y avait plus rien devant lui,
sauf le rouleau magique
et la plume,
un bâton de cire à cacheter rouge
et une bougie de cire allumée.

« *Auguste Potatoe !*
murmura-t-il, *j'obéis à tes ordres* ».

Puis il scella le rouleau magique,
appela un messager et lui confia le rouleau en disant ces mots :
« **HÂTE-TOI !** *c'est une question de vie ou de mort,* **HÂTE-TOI !** »

C'est sur ces mots que le pauvre messager
tremblant de peur
PARTIT EN GALOPANT.

Alors, dans un grand soupir le Magicien retourna dans son antre en murmurant d'une voix caverneuse :

‘ ET MAINTENANT, À MON CRAPAUD ! ’

Si tu ne trouves pas le chemin, écris-nous et tu auras la réponse :
editions-mouck@hotmail.fr

En 1850, Charles Lutwidge Dodgson ne s'appelait pas encore Lewis Carroll, il avait 18 ans, il écrivait des poèmes et de courts récits qu'il retranscrivait à la main dans une revue familiale : *Le Parapluie du presbytère*.
De cette revue, nous avons extrait le chapitre d'un texte (*La Canne du Destin*), auquel nous avons donné le titre : *La caverne du Magicien.*

Cette histoire « rêvée » et pleine de « nonsense » préfigure *Les Aventures d'Alice au pays des merveilles* écrites quelques quinze années plus tard.

Le lecteur pourra se distraire en décodant ce jeu de piste typiquement Carrollien.

CODE SECRET

Mets la plume dans l'oeil et éteins la pumpkin.
Tiens, c'est five o'clock !
Ouvre la porte à la Potatoe, mais attention à l'araignée.
Oh, encore cinq heures !
Le magicien se chatouille la citrouille, puis sort de chez lui :
« Bonjour Monsieur Chapelier fou,
que vous avez un beau Cheshire Cat ! ».
Les grelots sonnèrent : encore l'heure du thé !
Le spectre du cri et le Lapin de Mars
passèrent le mot au Messager.

DANS CETTE MÊME COLLECTION

SIMPLICE
Emile Zola,
illustré par Victor

DRÔLE DE MONDE QUE MA TÊTE
Gustave Flaubert,
illustré par Olivia Willaumez

LES EFFARÉS
Arthur Rimbaud,
illustré par Lauranne Quentric

ISBN 9-782917-442074

Dépot légal premier trimestre 2009
Loi n° 49-956 du 16 juillet 1949 sur les publications destinées à la jeunesse.
Imprimé en Chine par Book Partners China Ltd.